Card Captor Sakura, Vol. 8
a été réalisé par

CLAMP

SATSUKI IGARASHI
NANASE OHKAWA
MICK NEKOI
MOKONA APAPA

JE PENSE QUE JE VAIS
VOUS CRÉER QUELQUES ENNUIS...

MAIS AVEC TOI, SAKURA,
TOUT IRA BIEN !

9

J'AI BEAU RECOMMENCER, IL A TOUJOURS LA TÊTE DE KÉLO !

COMMENT ÇA ?

RAPPEL À L'ORDRE

JE VAIS ENCORE DEMANDER CONSEIL À LIKA !

POUM !

Melle Kaho,

Des événements mystérieux se sont encore produits à Tomoeda.

Les Clow Cards ne fonctionnent plus, mais je peux encore les utiliser pour créer de nouvelles cartes qui sont très efficaces...

De plus, nous ressentons toujours la présence de Clow Lead qui n'est pourtant plus en vie.

Je n'ai aucune idée de ce que nous réserve l'avenir..... En fait, désormais,

OUI MAIS

MOI AUSSI J'AURAIS AIMÉ RENCONTRER MELLE MIZUKI...

ERIOL ?

CA VA ?

QU'EST-CE QUE C'EST ?

HOULA!

EUH... C'EST PAS FINI, IL FAUT ENCORE QUE JE FASSE DES AMÉLIORATIONS...

C'EST DONC CE QUE TU AS ACHETÉ PENDANT LA VISITE À LA MERCERIE.

UN OURS EN PELUCHE EN KIT !

EUH... MM... OUI !

COUIC

14

ET PUIS...

C'EST VRAI QU'IL RESSEMBLE À PAPA ET À YUKITO

ÇA VEUT DIRE

QUE YUKITO ET PAPA

SE RESSEM-BLENT QUELQUE PART...

MAIS C'EST VRAI ÇA !

MERCI ERIOL, C'EST GRÂCE À TOI !

C'EST RÉUSSI !

NON, NON !

AU FAIT...

COMMENT TE REMERCIER ?

CHOISIS !

JE PEUX CHOISIR CE QUE JE VEUX ?

OUI !

À CONDITION QUE JE PUISSE LE FAIRE...

18

WOUAH !

WOÉÉÉÉ

PSCHH

EH ?

COMME J'ENVIE LA PERSONNE À QUI TU DONNERAS CET OURS !

ERIOL...

KERBEROS

MAÎTRE
KINOMOTO SAKURA

DATE DE NAISSANCE
SECRÈTE

SYMBOLE
SOLEIL

ÉNERGIE
POSITIVE - LUMIÈRE

YEUX
DORÉS

PELAGE
ORANGÉ - MORDORÉ

TYPE DE MAGIE
SORCELLERIE
OCCIDENTALE

METS PRÉFÉRÉS
SUCRERIES

AIME
L'AGITATION ET
LA BONNE HUMEUR

DÉTESTE
LA TRISTESSE
ET LA SOLITUDE

FORME ALTERNATIVE
PELUCHE ORANGE AILÉE

KERBEROS

À CE PROPOS... LE BISCUIT EST L'ANCÊTRE DES PÂTISSERIES MODERNES, MAIS IL EST ENCORE TRÈS APPRÉCIÉ !

ET... BISCUIT ET BISCOTTE PROVIENNENT DU MÊME MOT, MAIS SONT DEUX METS DIFFÉRENTS.

ENFIN... DANS LE TEMPS, LES BISCUITS ÉTAIENT ÉNORMES ET TRÈS NOURRISSANTS.

ALORS ILS CONSTITUAIENT LA MAJEURE PARTIE, PAS TRÈS DIGESTE, DES RATIONS DES MARINS !

TIENS ! LES PREMIERS FABRICANTS DE BISCUITS SONT APPARUS IL Y A PLUSIEURS SIÈCLES ET...

GROOOAAR

MES SENTIMENTS NE SONT PAS PARTAGÉS, C'EST ÇA

CRii

AH AH ! POURQUOI TU ES FÂCHÉE ?

23

POURQUOI ELLE ME HANTE ?

JE ROUGIS ET MON CŒUR BAT SI FORT...

QUAND JE LE REN- CONTRE, LUI !

C'EST DIFFÉRENT !

YUÉ !

TON SANG EST CELUI DE CLOW !

SI TU PANIQUES À PROXIMITÉ DE YUKITO,

C'EST À CAUSE DE SON AURA MAGIQUE !

CE SERAIT BIEN QUE YUKITO Y RÉFLÉCHISSE AUSSI !

EH ?

HOP !

C'EST PAS FACILE...

D'ALLER CHEZ YUKITO VÊTUE D'UNE DE TES CRÉATIONS...

TU ES ÉBLOUIS-SANTE, SAKURA !

♡

CE SOIR, SAKURA, TU VAS OFFRIR TON OURS À YUKITO ! C'EST COMME UNE RÉVÉLATION...

ILS TE VONT SUPER BIEN SAKURA !

UN JOUR SINGULIÈREMENT ET PARTICULIÈREMENT SPÉCIAL ! SI SPÉCIAL...

IL TE FALLAIT DES VÊTEMENTS HORS NORME !

COMME JE SUIS HEUREUSE QU'ELLE AIT COMPRIS !

ROU

LES CARTES SE RENOUVELLENT... ET MOI JE DOIS FAIRE DE NOUVELLES VIDÉOS ! HO HOO !

MAIS POURQUOI AMENER KÉLO ?

JE SUIS VENU VOIR SI YUKITO ALLAIT BIEN

YUKITO ?

POURQUOI ?

POUR VOIR !

N'IMPORTE QUOI !

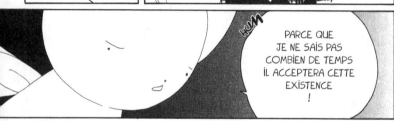

PARCE QUE JE NE SAIS PAS COMBIEN DE TEMPS IL ACCEPTERA CETTE EXISTENCE !

HEIN ?

QUOI ?

BAH ! ALLEZ... DONNE-LUI CE QUE TU DOIS LUI DONNER !

ILLICO PRESTO !

W ÊÊ É !

DING DONG !

ALORS, CE SERAIT SEULEMENT À CAUSE DE ÇA QUE SAKURA AIME YUKITO ?

NON !

PAS TOUT À FAIT...

YUÉ S'EST DÉVOILÉ, ET SAKURA A BEAU ÊTRE DEVENUE LA NOUVELLE MAÎTRESSE DES CARTES, ELLE EST TOUJOURS TROUBLÉE PAR LA PRÉSENCE DE YUKITO !

SAKURA NE RÉAGIT PAS SEULEMENT À LA MAGIE DE YUÉ, JE CROIS QU'ELLE AIME VRAIMENT YUKITO !

À SUIVRE

PITCHOUNE !
YUÉ
!

SAKURA
!

54

RIEN DE CASSÉ ?

MOI, ÇA VA !

STAP

YUÉ M'A PROTÉGÉE PENDANT L'ATTAQUE !

ÇA VA ?

BON SANG ! SI TU NE VOLES PAS AVEC FLY TU NE L'ATTEINDRAS JAMAIS !

MAIS FLY PERMET DE VOLER EN CRÉANT DES AILES AU BOUT DU SCEPTRE !

SI ELLE S'EN SERT, ELLE RENONCE À SWORD !

66

BIEN JOUÉ, SAKURA !

C'EST PRO- MIS ?

RSCHHH!!

TU ES PARTIE CHEZ LUI... POUR LUI DONNER L'OURSON ?

OUI, MAIS...

C'EST RACCOM- MODÉ

JE L'AI TRANCHÉ AVEC SWORD, ALORS JE NE POUVAIS PAS LUI DONNER.

C'ÉTAIT DUR DE TOUT CACHER À YUKITO !

78

J'AI BEAU MANGER, JE NE SUIS PAS RASSASIÉ...

ET PUIS JE N'AI AUCUN TONUS...

J'AI DES PERTES DE MÉMOIRE DEPUIS QUELQUE TEMPS...

QU'EST-CE QUI CLOCHE ?

JE ME RÉVEILLE ET TOUT EST EN MIETTES AUTOUR DE CHEZ MOI...

SAKURA M'OFFRE UN OURSON ET VOILÀ QU'IL A L'OREILLE DÉCHIRÉE... JE N'AI RIEN COMPRIS À SES EXPLICATIONS !

YU...

YUKI
!

POP

TOYA
!

LA
RÉUNION
DU CLUB
DE FOOT
EST FINIE
?

OUAIS
!

84

TU VOIS,

YUKI

TU ES...

BAH...

CEUX QUI ONT ÉTÉ CRÉÉS EN PREMIER SONT FORCÉMENT MOINS ÉVOLUÉS QUE LES NOUVEAUX ! C'EST COMME ÇA...

TOYA EST RIEN QU'À MOI !

NE TE METS PAS EN TRAVERS !

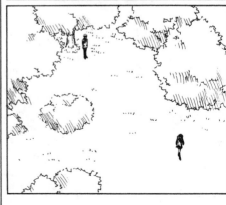

91

DIS...

POURQUOI FALLAIT-IL QUE J'APPORTE LA BOÎTE REPAS QUE TU AS OUBLIÉE À LA MAISON ?

MAIS ÉRIOL ME L'A PRÉPARÉE AVEC TANT DE SOIN !

ZOUP

❀ À SUIVRE ❀

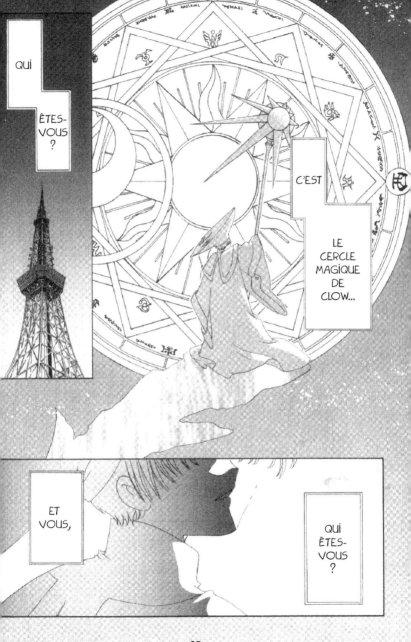

QUI

ÊTES-
VOUS
?

C'EST

LE
CERCLE
MAGIQUE
DE
CLOW...

ET
VOUS,

QUI
ÊTES-
VOUS
?

SAKURA ! C'EST DÉJÀ LE MATIN !

DING

PFFFF

QU'ESSEU QUI SE PASSE ?

MMM...

JE ME SENS EN COTON...

ET PUIS J'AI FAIT UN RÊVE...

RACONTE !

JE NE ME SOUVIENS PRESQUE PLUS,

MAIS...

J'Y AI VU

CE CERCLE MAGIQUE !

TU ES TOUTE ROUGE !

TU AS DE LA FIÈVRE ?

PFFFFF

HUM

ÇA IRA, VA !

QU'EST-CE QU'ON A AU PETIT DÉJ ?

PAPA PART FAIRE DES FOUILLES AUJOURD'HUI, ALORS C'EST TOYA QUI CUISINE !

JE ME DEMANDE SI ÇA VA VRAIMENT...

TAP

TAP

TAP

TU FAIS ENCORE LA GRASSE MAT', GODZILLA ?

MM ?

B'JOUR MAMAN

CHUIS PAS... UN GODZILLA !

TU ES FIÉVREUSE...

98

TU SAIS QUE TU ES MALADE ET TU VIENS QUAND MÊME EN COURS DE GYM !

POURQUOI FAUT-IL TOUJOURS QUE TU...

OH LÀ LÀ !

LI A RAISON !

OUI

SI TU NE VAS PAS BIEN, TU NE DOIS PAS LE CACHER !

BO BO

JE CROIS QU'ELLE FERAIT MIEUX DE RENTRER SE REPOSER !

MAIS, CHUIS DE PERMANENCE !

ALORS...

RENTRE VITE !

JE M'EN CHARGE !

MERCI !

OUI, C'EST BIEN CLOW QUE JE RESSENS, MAIS POURQUOI ?

ET, CE BROUILLARD, IL FAUT QUE JE FASSE QUELQUE CHOSE...

MAIS JE SUIS SI FATIGUÉE JE NE PENSE À RIEN...

CHASSÉ PAR LE SOUFFLE DU VENT, LA BRUME S'ESTOMPE ET SE DISSIPE ...

CLIP

LE SOUFFLE DU VENT...

THE WINDY

FLAA

SSSSASH

HEIN ? MAIS C'ÉTAIT LA VOIX DE CLOW !

WINDY !

TIII IING

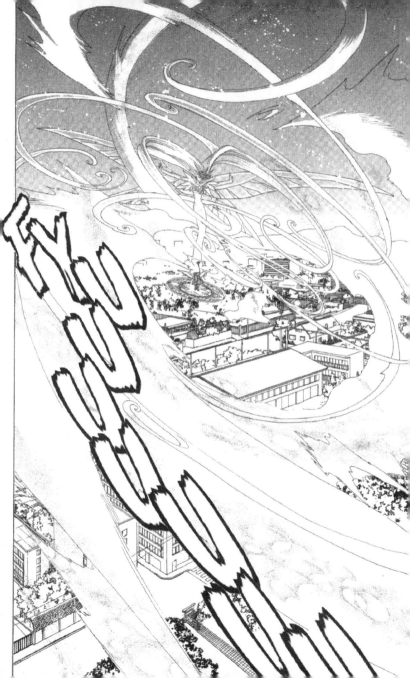

SAKURA !

TAP
TAP
TAP

MAIS...

À QUI EST CE MANTEAU ?

SAKURA S'EST ABSENTÉE ?

OUP

BIEN ENTENDU. GRR...

EUH...

JE CROIS SAVOIR CE QU'ELLE EST PARTIE FAIRE...

PUISQU'ELLE TIENT À CE QUE TOUT CELA RESTE SECRET,

TU NE LUI DIRAS PAS QUE J'AI REMARQUÉ SON MANÈGE !

D'ACCORD !

MERCI BIEN !

OH HISSE !

GRAND FRÈRE N'EST PAS DANS LE COIN !?

MERCI, TU M'AS SAUVÉE !

ON DIRAIT QUE MA FIÈVRE A DISPARU !

SAKURA N'A PLUS DE FIÈVRE ON DIRAIT,

MAIS JE SUIS SÛR QUE SON FRÈRE VA PASSER LA NUIT AUPRÈS D'ELLE !

TOYA M'A DÉJÀ À L'ŒIL, ET JE NE PEUX PAS RESTER IMMOBILE TOUTE LA NUIT !

ELLE VA S'INQUIÉTER MAIS... Y'A PAS LE CHOIX, TÉ !

PFU

JE DORS CHEZ TOI, PETIOT !

PAS DE RÉPONSE ?

OH!

HÉ ! ATTENDS-MOI !

CLAC

TOC
TOC

OH
?

ON A
FRAPPE
?

PAPA
?

SAKURA
N'AVAIT PAS
L'AIR BIEN CE
MATIN, JE ME
FAISAIS DU
SOUCI...

MAIS
PARFOIS
MES
INTUITIONS
SONT
FAUSSES...

NON,

C'EST EXACT !

MAIS ELLE VA DÉJÀ MIEUX !

ELLE AVAIT DE LA FIÈVRE.

C'EST DONC ÇA.

DÉSOLÉ DE T'AVOIR LAISSÉ T'EN OCCUPER SEUL !

DIRE QU'ELLE A JOUÉ LA COMÉDIE POUR QUE JE NE M'INQUIÈTE PAS...

139

POUR YUKITO
SAKURA

JE ME DEMANDE COMMENT YUKITO LE PRENDRA...

SI ÇA POUVAIT LUI FAIRE PLAISIR...

C'EST BIEN ÇA !

YUKITO A DROIT À DES CHOCOLATS, LUI... IL EN A DE LA CHANCE !

YOUPI ! YAHOU !

MAIS IL Y EN A AUSSI POUR TOI KÉLO !

KÉLO EST UN GOURMAND

POUR SÛR !

ET JE ME SUIS TUÉ LA SANTÉ À T'AIDER !

SNIF

SNIF

C'EST MA PART ÇA ?

OUI !

TU PARS DÉJÀ TOYA ?

TAP
TAP

FOUIL' FOUIL'

C'EST LE MOMENT

À MON JOB !

AH ?

C'EST LA SAINT-VALENTIN !

TU VAS EN RECEVOIR BEAUCOUP, JE SUPPOSE...

JE RISQUE RIEN ?

SONT DIGESTES ?

POÏL POÏL

MAIS ! J'EN AI GOÛTÉ HIER !

CIMER !

144

AH, IL FAUT QUE JE DONNE QUELQUE CHOSE À YUKITO,

PASSE LE CHERCHER CE SOIR, S'IL TE PLAÎT !

FLAP FLAP

OUF

BON- JOUR !

TAP TAP

BON- JOUR !

TOYA TRAVAILLE VRAIMENT TOUT LE TEMPS ! IL S'EST ACHETÉ UNE MOTO...

IL VEUT S'INSCRIRE À L'UNIVERSITÉ AVEC SES PROPRES ÉCONOMIES !

C'EST DONC ÇA !

AH AU FAIT...

TIENS !

C'EST LA SAINT-VALENTIN !

MERCI MA CHÉRIE !

146

...

IL EST SÉRIEUX, LUI, PAS COMME TOI !

TU AS BEAU LE PRENDRE À TÉMOIN...

TU EN SAIS DES CHOSES !

EE EEH ?

PHIG

C'EST VRAI ?

CERTAINS PAYS D'EUROPE AVAIENT INTERDIT PAR DÉCRET LA CONSOMMATION DE CHOCOLAT AU INDIVIDUS ÂGÉS DE MOINS DE VINGT ANS...

ET LE CHÂTIMENT POUR CEUX QUI ENFREIGNAIENT LA RÈGLE ÉTAIT TRÈS SÉVÈRE !

OUI,

IL Y A EU, CLAIREMENT, DANS L'HISTOIRE DE L'EUROPE, UNE ÈRE OÙ LE CHOCOLAT ÉTAIT HORS LA LOI !

ET PLUS ENCORE LE CHOCOLAT BLANC, IL ME SEMBLE...

HCOOOOOCO!

ET LE CHOCOLAT AUX AMANDES...

TA AAP

HIIRAGIZAWA NOUS ENTAMONS UNE RELATION NOUVELLE !

SANS NUL DOUTE !

ALORS CES DEUX-LÀ ÉTAIENT FAITS POUR S'ENTENDRE !

TOUT SOURIRE

ON A DE LA CHANCE D'ÊTRE NÉS À NOTRE ÉPOQUE !

OUI ...

ON POUVAIT PAS MANGER DE CHOCOLATS !

MAIS POURQUOI LE CHOCOLAT BLANC ÉTAIT PIRE ?

ÇA...

HO HO HO HO

24

RUBI MOON

MAÎTRE
ERIOL HIIRAGIZAWA

DATE DE NAISSANCE
SECRÈTE - MAIS DIFFÈRE DE CELLE DE NAKURU

SYMBOLE
LUNE

ENERGIE
POSITIVE - LUMIÈRE

YEUX
ROUGE SOMBRE

CHEVEUX
ROUGES

TYPE DE MAGIE
OCCIDENTALE

METS PRÉFÉRÉS
NE MANGE PAS

AIME
LES ENNUIS

DÉTESTE
LE DÉSŒUVREMENT

FORME ALTERNATIVE
NAKURU AKIZUKI

RUBY MOON

ALORS À DEMAIN !

LES CHOCOLATS POUR SAKURA !

ET COMME TU ES ATTENTIONNÉ ET DOUÉ POUR LA CUISINE, LI, JE SUIS SÛR QUE TU LES AS FAITS TOI-MÊME...

DANS LE MILLE !

TU ES SÛR QUE TU NE LUI DONNES PAS ?

COM- MENT ÇA ?

ELLE ÉTAIT PRESSÉE... CE N'EST PAS GRAVE !

TU ES VRAIMENT SI GENTIL SHAOLAN !

162

D'APRÈS TOYA, TU VOULAIS ME VOIR ?

EUH...

TIENS,

C'EST DU CHOCOLAT !

MERCI !

C'EST GODZILLA QUI L'A FAIT, ON NE SAIT PAS CE QUI PEUT T'ARRIVER...

167

C'EST BIEN QUE TON CHOCOLAT FASSE PLAISIR !

MAIS POURQUOI DONC EN AI-JE FAIT QUATRE ?

PAPA — REPAS DU SOIR
SAKURA — RANGEME
TOYA — TRAVAIL

OUI !

DIS, PAPA, MAMAN T'OFFRAIT DU CHOCOLAT ?

TOUS LES ANS ! ET FAITS MAISON !

MAIS ELLE N'ÉTAIT PAS DOUÉE POUR LA CUISINE !

OUI, MAIS ELLE SE DONNAIT BEAUCOUP DE MAL POUR LES FAIRE !

IL Y EN AVAIT POUR MOI, POUR TOYA,

POUR SONOMI...

ET POUR TON GRAND-PÈRE QU'ELLE AIMAIT BEAUCOUP !

DEPUIS NOTRE MARIAGE JUSQU'À SA MORT...

GRAND PÈRE...

OUI, CHAQUE ANNÉE, ELLE S'APPLIQUAIT POUR EN FAIRE ET LUI EN ENVOYAIT...

ET MAINTENANT, CE GRAND-PÈRE...

IL VA BIEN !

MAIS JE NE L'AI REVU QU'UNE SEULE FOIS !

POURQUOI ?

IL EN ALLAIT POUR LUI COMME POUR SONOMI: NADESHIKO COMPTAIT ÉNORMÉMENT À SES YEUX !

JE SUIS UN PEU LE MÉCHANT HOMME QUI LEUR A ENLEVÉ NADESHIKO !

MAIS TU N'AS RIEN FAIT DE MÉCHANT !

JE NE ME SOUVIENS PAS DE MAMAN...

MAIS SUR LES PHOTOS ELLE A TOUJOURS L'AIR HEUREUSE !

170

ET PUIS SANS PAPA ET MAMAN, JE NE SERAIS MÊME PAS NÉE !

ET PUIS, MOI, JE SUIS HEUREUSE !

MERCI !

LE PÈRE DE MAMAN CROIT TOUJOURS QUE PAPA EST MÉCHANT...

ALORS QUE PAPA EST SI GÉNIAL !

CE N'EST PAS UN MÉCHANT HOMME !

172

JE SUIS SÛRE QUE ÇA LE TOUCHERA !

AH ! MAIS...

SI ON L'ENVOIE MAINTENANT, C'EST PAS TROP TARD ?

HUM

CA VA ALLER !

WOÉ ?

JE CONNAIS QUELQU'UN QUI POURRA LUI LIVRER À DOMICILE !

JE SUIS SÛRE QUE MAMAN ENVOYAIT AUTRE CHOSE AVEC LES CHOCOLATS ?

ELLE AJOUTAIT UNE LETTRE ET UN ŒILLET AVEC LE CHOCOLAT*.

TAP TAP

UN ŒILLET ?

DÉCOURAGÉE

MAIS LE FLEURISTE EST DÉJÀ FERMÉ !

C'EST ÇA...

182

J'AIMERAIS QUE CELA RENDE GRAND-PÈRE HEUREUX !

PAS VRAI, MAMAN ?

À SUIVRE DANS LE VOLUME 9

Titre original :
CARD CAPTOR SAKURA, vol. 8
© 1999 CLAMP
All Rights Reserved
First published in Japan in 1999
by Kodansha Ltd., Tokyo
French publication rights
arranged through Kodansha Ltd.
French translation rights : Pika Édition

Traduction et adaptation : Reyda Seddiki
Lettrage : Valérie Pizzonero

L'édition originale de cet ouvrage
a été publiée dans le sens de lecture
japonais. Les images ont été retournées
pour l'édition française.

© 2001 Pika Édition
ISBN : 2-84599-095-2
Dépôt légal : janvier 2001
Imprimé en Allemagne par Clausen & Bosse
Diffusion : Hachette Livre

DÉJÀ PARUS

À PARAÎTRE

NOUVELLES ÉDITIONS